CHARLES LANDRY

Si j'écrivais comme je t'aime

*hymnes à la femme
et à l'amour*

La Plume d'Oie
ÉDITION

La Plume d'Oie Édition bénéficie des programmes d'aide à l'édition de la Société de développement des entreprises culturelles du Québec (SODEC).

Gouvernement du Québec – Programme de crédit d'impôt pour l'édition de livres – Gestion Sodec.

Un merci spécial
à madame Linda Dorval
pour sa précieuse collaboration.

ISBN : 2-923063-79-1

Dépôt légal – Bibliothèque nationale du Québec, 2005

Dépôt légal – Bibliothèque nationale du Canada, 2005

Photographie de la page couverture :
  Charles Landry

Photographie de l'auteur : Daniel Martel

La Plume d'Oie ÉDITION

155, des Pionniers Ouest

Cap-Saint-Ignace (Québec) G0R 1H0

Téléphone et télécopieur : 418.246.3643

Courriel : info@laplumedoie.com

Site Internet : www.laplumedoie.com

La beauté de la fleur est
une douceur pour les yeux

comme la poésie de Charles est
une musique pour le cœur.

Assis sur un banc de parc, seul.
Il prend sa plume et commence...
Un mot, une phrase
*   puis une autre et une autre...*

Lorsque j'ai lu le texte Si j'écrivais comme je t'aime de Charles Landry, j'ai réalisé que c'était une poésie nouvelle, réinventée et que ses phrases étaient mélodieuses et m'interpellaient.

En le lisant à haute voix, j'ai tout de suite compris que ses mots étaient authentiques et venaient droit du cœur. Tendresse, douceur, mélancolie et même tristesse sont des sentiments qui me vinrent à l'esprit. En lisant, j'étais comme dans un rêve ; je pouvais imaginer les décors d'une pièce de théâtre dans laquelle j'inventais mes personnages.

Plus tard, en parcourant ces textes empreints de sensibilité, nous, l'équipe de La Plume d'Oie, avons marché dans les pas de l'auteur, trouvant l'étincelle qui conduit à la réflexion.

Dans chaque texte, nous découvrons des états d'âme, des sentiments que chacun d'entre nous peut vivre dans son quotidien. Voilà ce que Charles désire nous livrer aujourd'hui.

Une facilité à exprimer la Vie en mots sur cette page blanche, devient pour lui une passion, un moyen privilégié de toucher l'autre et lui permettre de ressentir les diverses étapes d'une vie.

La Plume d'Oie Édition est heureuse de vous offrir ce recueil. S'adressant à un public de tous âges, ce florilège de poésie se savoure à petites doses, comme un mets que l'on dégusterait lentement pour mieux faire durer le plaisir. Nous y revenons d'instinct. Parce que nous changeons, et que les émotions véhiculées nous atteignent différemment selon l'état d'esprit dans lequel nous nous trouvons au moment d'ouvrir ce trésor de douceur et de tendresse.

Laissez-vous transporter par la poésie de Charles Landry, et délectez-vous de tous ces mots qu'il met à votre disposition...

Une larme,
   Un sourire,
      Un hymne à la femme et à l'amour !

Bonne lecture !

Micheline Pelletier, pdg

À Lyne,
ma terre,
mon amour,
ma vie.

À Pénélope
et à Frédérique,
mes déesses,
mes amours,
ma fierté.

Préface

La page blanche
la hantise de l'écrivain
le défi du poète

        la joie d'écrire un mot
        puis un deuxième
        puis...

la joie de rédiger
de créer
de partager

        la joie de donner
        d'émouvoir
        d'étonner

le plaisir de parler
d'échanger
d'aimer

        le plaisir de publier
        de lire Charles Landry

le plaisir de lire un mot
puis un deuxième
puis...

        Jacques Laurin,
        linguiste

Si j'écrivais
comme je t'aime

Si j'écrivais comme je t'aime,
les mots écrits à pages pleines.
De papier, la demande serait si forte,
que les forêts en périraient.
Et d'encre,
toute cette belle encre bleue,
les océans s'assècheraient.

Si j'écrivais comme je t'aime,
les dictionnaires de tes beautés,
les bibles de tes douceurs,
ces lignes, je les ferais chanter,
tout ce que tu m'inspires, mon cœur.

Si j'écrivais comme je t'aime,
un bras ne me suffirait pas.
Mon corps faillirait à la tâche.
Il me faudrait mille vies,
pour achever une simple ligne,
une éternité,
pour le premier chapitre.

Si j'écrivais comme je t'aime,
de ton vivant, tu passerais pour insolente
aux yeux des autres femmes,
…, jalouses.
Toi, la muse et la lumière
de cet illuminé…

Si j'écrivais comme je t'aime,
après ta mort, tu deviendrais déesse,
car ton amour exulterait,
les écrits restent...
Les générations futures
ne verraient par ces mots,
qu'une femme pure,
au-delà... dans les cieux.

Si j'écrivais comme je t'aime,
j'y laisserais ma vie,
heureux.

Condamné à toi

Signal que tu m'envoies,
ces jambes que tu décroises,
alors que je m'emploie,
à faire grimper l'extase.

Ce rire au coin de l'œil,
cette langue alanguie,
alors que je t'effeuille,
désireux, étourdi.

Mes chaînes vers toi se forgent,
lorsque tu te déchaînes,
amoureux de ta gorge,
celle que tu portes en reine.

Entouré de ces sons
et de tous tes soupirs,
c'est dans cette prison
que j'aimerais mourir...

Neige de douceurs

Cette soirée-là,
il neigeait.

Une neige comme on en rêve.

Main dans la main, nous avancions.
Et les lumières, comme des lampions,
nous égayèrent de leurs rayons.
Main dans la main, nous avancions.

Le bonheur dans ces promenades,
c'est la chaleur de nos balades,
ces mots d'amour, échangés,
sous le vent, bien emmitouflés.

La tempête fait rage et pourtant,
nos cœurs s'unissent en dedans,
profitant chacun l'un de l'autre,
dans ce bonheur qu'est le nôtre.

De retour devant le foyer,
après nous être déshabillés,
l'air de la maison, chaleureux,
te métamorphose, langoureuse.

À la lueur de la flamme,
à la chaleur de ces braises,
sur moi tu t'étends, à ton aise,
Et doucement t'endors, ma femme.

Bousculées

Trop de femmes bousculées,
    sur cette terre misérable,
elles qui ont, pour la vie,
    ces sourires affables.
Les hommes, les peuples
    et les religions,
de leurs jeux, les maltraiter,
    en font une passion.

Écoutez-la, simplement,
    vous parler de ses peines,
elle s'ouvrira à vous,
    et de douleurs si pleine,
vous racontera tout,
    cela lui fera du bien,
elle qui est habituée,
    à se plaire de mille riens.

Les larmes sur ses joues,
    vous les effacerez,
et si les vôtres s'ajoutent,
    elle vous comprendra.
Accueillez ses mots,
    dans votre cœur, vous verrez,
qu'elle n'a qu'un seul besoin,
    qu'on la serre dans nos bras.

Toutes ces femmes, si belles roses,
mais tellement bousculées,
ne demandent qu'une chose,
celle d'être vraiment aimées.

Mère à vie

Elle a pleuré,
Dieu ! Qu'elle a pleuré !
Des profondes douleurs de sa fille,
elle en ressent les souffrances.
Et dans son âme sensible,
elle les pleure, en silence.
Elle a pleuré,
Dieu ! Qu'elle a pleuré !

Elle a détesté,
Dieu ! Qu'elle a détesté !
Son enfant menacé
par ces hommes incongrus.
Elle les aurait écorchés,
de ses griffes, sans retenue.
Elle a détesté,
Dieu ! Qu'elle a détesté !

Elle a brillé,
Dieu ! Qu'elle a brillé !
Des larmes accompagnant sa joie,
de voir sa fille victorieuse.
Et elle tombe en émoi,
de la sentir si heureuse.
Elle a brillé,
Dieu ! Qu'elle a brillé !

Elle a aimé,
Dieu ! Qu'elle a aimé !
L'enfant n'était qu'idée,
qu'elle la désirait déjà.
Et quand elle a enfanté,
ce fut sa plus grande joie.
Elle a aimé,
Dieu ! Qu'elle a aimé !

La mariée du Sahara

C'est pleine lune ce soir.
C'est plein désir aussi.
Son éclat sur les dunes ce soir,
nous en jouirons toute la nuit.

Au loin, les hululements gais
d'un mariage arabe.
Ondulations modulées
de leurs chants remarquables.

La mariée s'est approchée,
sur le dos d'un dromadaire, endimanché,
à pas lents,
comme dans les films.

Plus féminine que féminine,
plus féminine que jamais,
par ses amies, épilée, coiffée et vêtue.
Visage, mains, et pieds maculés
de perles de henné,
voilée,
prête pour ses fiançailles,
son dévoilement.

Elles dansent ensemble,
les ondes des ventres féminins,
rejoignent la langueur de la musique.
Pour nous, toute cette fresque,
ces traditions, ces arabesques.

Les gens chantent leur gaieté,
de vivre ce cycle impassible.
Le sourire de cette mariée,
la vie dans le désert possible.

Ces beautés nous attirent l'un l'autre,
nous émoustillent et émerveillent.
Dansons et chantons avec nos hôtes,
jusque dans la nuit, au sommeil.

Une chaleur soutenue,
le souffle du Sahara.
Nous nous enlaçons nus,
Sur pétales de jasmin et draps de soie.

Innocence d'adolescence

Elle ne réalise pas à quel point
  « femme », elle est devenue.
Ses rondeurs si fécondes
  étaient avant, si menues.
Un esprit de jeune fille,
  dans un écrin si femelle.
Tous ces signes de pureté,
  qui la rendent si belle.

Elle s'habille telle une femme,
  prête à être convoitée,
elle qui, pour le moment,
  ne songe qu'à s'amuser.
Ses copines, ses copains sont son monde,
  c'est la mode,
et le temps, et la vie feront
  qu'elle s'en dérobe.

Les mères qui la regardent,
  la diront aguichante,
et les hommes, yeux sur elle,
  la trouv'ront alléchante.
Et elle joue, comme toujours,
  à rire et à chanter,
ne voyant ni mépris, ni envie,
  dans leurs pensées.

Laissons-la rêvasser, à ses mille lumières,
elle ne songe pas déjà, à devenir mère.
Et le temps fera, que femme devenue,
la vie s'occupera de sa virginité perdue...

Larmes de vie

Ton premier enfant
   vient de voir le jour,
ses yeux
   n'ont encore rien vu.
Déposé sur ton sein,
   son corps encore lié au tien.
Même meurtrie,
   tu exultes de joie,
n'ayant, jamais de ta vie,
   tant aimé.

Ces larmes sont l'encre de ta mémoire.

Ton enfant grandit
   et te donne de grandes joies.
Chaque étape de sa vie,
   soutire peines et émois,
de le voir grandir si vite,
   sa jeunesse passer,
tu le vois, malheureuse,
   partir, s'éloigner…

Laisse ces larmes couler sur ta joue.

Tu accompagnes ton ami
     à son dernier repos.
Peines et douleurs te tenaillent
     de le voir s'en aller.
Il te tarde de laisser sa main,
     refroidie.
De tristes heures à penser,
     souvenirs d'une vie passée.

Ces larmes sur ta joue,
     laisse-les devenir.
Elles seront l'encre de ta mémoire,
     de tes souvenirs.
Ces larmes que je vois,
     m'interpellent vers toi.
Une femme plus humaine,
     ne saurait exister.
Elles sont l'essence même
     de ta sensibilité.

Une vie sans larmes,
une vie sans vie.

Solitude

Le bateau venait d'échouer,
la tempête devait se calmer.
Ma survie étant assurée,
un autre problème s'est pointé.

Sur cette île déserte et sans passion,
je me retrouve seul, avec ma dérision.
Et très loin de mes habitudes,
elle arrive tout droit… solitude.

Jamais concubine
    ne m'a autant peiné,
aucune d'elles, avant elle,
    ne m'a fait tant pleurer.
Je la hais comme la lèpre,
    la reniant en fuyant,
elle me suit comme une guêpe,
    avec tout son mordant.

Elle et moi, tel un couple mal assorti,
l'une qui aime, et l'autre qui fuit.
Les premières douleurs étant passées,
Solitude, je te vaincrai.

Angélique

Des ailes,
tu me donnes des ailes.

Depuis le moment où je t'ai connue,
et à la suite ce que j'ai vécu.
Tu m'as donné tant de bonheur,
et libéré de mes peurs,
puis en moi, tu as fait naître,
le désir de voir, de connaître.

Je t'ai suivie dans tes voyages,
vers d'autres mondes, d'autres langages.
Partout où tu mettais les pieds,
les gens souriaient, enchantés,
de ta lueur, de ta présence,
celle qui guérit, toutes souffrances.

La vie avec toi est un fleuve,
comme les gouttes, les sourires pleuvent,
et comme cette eau coule, tout le temps,
ta vie nous conserve en mouvement.

Feuille d'arbre

La femme est comme une feuille d'arbre.
Elle est fleur à ses débuts.
Et d'une beauté incomparable,
les gens sourient à sa venue.

Et l'âge avance doucement,
elle demeure d'une beauté calme,
aimant amours et amants,
un sourire doux, une vie stable.

Et le temps passe, elle se colore,
devient légère, plus courageuse,
prête à partir avec le vent,
de cet arbre ne sera plus logeuse.

Et soudain une bourrasque vive
la fait décrocher de son nid.
Elle se laisse porter par les flots de vent,
admirant ces contrées,
    pour elle avant inconnues.

Elle sourit de cette joie,
    de ces nouvelles découvertes,
et elle se colore,
    ne devenant plus verte.
Tous autour l'admirent,
    car d'une grande beauté,
par le vent qui l'attire,
    elle s'est laissée aimer.

    Laisse-moi être ton vent, pour l'éternité.

Toi, ma créatrice

Mon artiste,
créatrice de ma vie.

Dès que je t'aperçois, ma belle,
tu dessines un sourire sur mon visage.

En ta présence,
mon cœur palpite et danse.

Mes jours sont des chansons d'amour,
à ton diapason.

Cette romance que nous vivons,
Roméo et Juliette en seraient jaloux.

Tes doigts, ta bouche,
sculptent mon corps de leurs caresses,
et lui donnent belle allure.

Notre vie inspire un film romantique,
à grand déploiement.

Tu es l'auteure de mes pensées,
des mots écrits qui embellissent la beauté.

À chaque battement de ton cœur, mon amour,
un chef-d'œuvre surgit.
Toi, créatrice de ma vie.

À la princesse en toi

Son sourire avait disparu
   depuis fort longtemps,
ses jolis rêves envolés
   avec le vent.
Elle a vécu
   des débuts difficiles,
 car chez la Bête,
   avait élu domicile.

Enfin de ses souffrances,
   elle s'était libérée.
Douce et belle comme elle l'est,
   un autre l'a mariée.
Hélas ce bonheur,
   ne fut que pour un temps…
De toute cette froideur,
   aucun rêve comme avant…

La vie poursuit son cours,
   et les heures-siècles passent.
Elle désire encore,
   mais ce vide la rend lasse.
Ne retirant de la vie,
   que cette courte leçon :
Que plus rien n'est gratuit,
   que tout est déception.

Jolie femme

Tu mérites bien
   d'être courtisée.
Il faudra cependant
   que tu te laisses bercer,
par la vie, par les joies simples
   qui te rendent si belle,
et un prince t'aimera,
   allumant mille chandelles.

Tu deviendras princesse,
   dès ton premier désir.
Ne compte pas sur l'autre,
   l'attente serait pire.
Si dans ton cœur, tu commences à t'aimer,
grandiront comme une fleur,
   tes plaisirs mérités.

Oui, sois princesse.   N'attends plus.

Mon nuage noir,
l'anxiété

La revoilà…
Elle est là…
Elle s'en vient, sinueuse,
la sordide, la tueuse.

Mes yeux doivent rougir,
mon visage blanchir, et mes cheveux aussi.
Mon souffle devient court,
à la raison, je deviens sourd.

L'anxiété est maintenant présente,
et je la vis comme une mort lente.
Elle m'enlève tous mes moyens,
de ma logique, il ne reste rien.

La vie autour semble continuer.
La terre ne cesse de tourner.
Mais moi, si petit moi,
ai un nuage noir, qui m'emplit d'effroi.

Je gèle sur place, les sueurs m'arrivent,
mes idées s'embrouillent, partent à la dérive.

Je ne sais à quel moment,
   cette fureur d'en dedans,
de mes profondeurs,
   elle jaillira en torrent.
Et quand je la vis,
   je ne souhaite qu'une chose,
que pour l'éternité,
   elle fasse une pause.

Qu'elle disparaisse de moi,
   et me laisse à la joie,
que j'avais, que j'ai eu,
   avant, autrefois.
Mais là, elle est là,
   de vivre elle me rend las.
L'anxiété me transporte,
   déjà au trépas.

Disparaîtra-t-elle
   dans la minute, l'heure, l'année ?
Je ne sais… je subis…
   me laisse aller…
À ses affres, à ces peurs,
   moments endoloris.
Son absence attendue,
   me redonnera vie.

L'île aux trésors

C'est une terre spéciale,
  cette région inconnue,
et loin d'être glaciale,
  je dois y être nu.
La découverte de cette île,
  me plaît, me grise, m'alanguit,
et comme le temps qui file,
  sa beauté m'étourdit.

Et mes yeux de beautés,
  se remplissent à l'éveil,
car ils n'ont jamais vu,
  rien de tel, de pareil.
Je me dois de goûter,
  toucher, voir, boire,
cette terre magique,
  dévoilant toute sa gloire.

Elle me présente ses fruits,
  sur ma langue y dépose.
J'ai le goût en mémoire,
  telle une de ces7 proses,
que l'on ne peut oublier,
  après l'avoir récitée,
j'y goûte tous les jus,
  de saveurs libérées…

Mes mains se font agiles,
    escaladant tous ces monts,
et ces forêts fragiles
    dont on ne voit le fond.
Un tremblement soudain,
    fait vibrer tout mon corps,
sur mon île, cette île,
    cette île aux mille trésors…

Et plus je m'aventure
    en cette terre connue,
s'approchent des murmures,
    d'un vague ruisseau en vue.
Je ne la vois, mais la sens,
    son odeur là-bas,
cette eau qui par son sang,
    m'amène à l'heureux trépas.

Communion

Une larme sur ta joue,
il n'en faut pas plus,
les miennes s'ajoutent,
nos corps s'ajustent.
Ta tristesse se répand,
en mon corps, en mon être,
et d'un commun accord,
la communion vient naître.

Cet état de changement,
nous l'avons à présent,
en mémoire il sera,
un souvenir pesant.
Vivons cet âge ensemble,
il nous sera plus facile,
la tempête deviendra,
comme un soleil docile.

Tes paroles, tes souffrances,
s'incrustent toutes en moi,
qui tu sais d'une larme,
peux tomber en émoi.
Mes sensations sont grandes,
sorties de ton intérieur,
de cette croissance lente,
elles deviennent plusieurs.

Heureusement tu n'as pas,
   que ce côté tristesse,
et que le plus souvent,
   tu as le cœur en liesse.
Ces moments font en moi,
   toute une hémorragie,
et ma joie se répand,
   sitôt que tu souris.

Je te lis,
Je te vis.

Désirs

Penser à toi, même à distance,
c'est un beau rêve, quand on y pense.
Mais être là à tes côtés,
alors qu'on pourrait se toucher,
et se dévorer des yeux.
Que peut-on demander de mieux ?

Devant tous les signaux,
   que ton cœur me lance,
je n'ai d'autre choix,
   qu'exercer ma patience,
ces minutes passées,
   sans une fois te toucher,
font monter le désir,
   ce charme tant convoité.
Et ainsi pas à pas,
   devenant désireux,
l'extase arrivera,
   nous comblant tous les deux…

Ces yeux

Ces yeux ont fait le tour du monde
et monts et merveilles, ils ont vus.
Ils croyaient que par cette ronde,
ils possédaient tout, avaient tout vécu.

Un jour ensoleillé, ils se sont ouverts,
et par ta beauté, se sont éblouis.
Eux qui toujours cachés, sont devenus fiers,
simplement par le fait, que tu leur as souri.

À ce jour, ces yeux,
    qui ont croisé les tiens,
n'ont plus quitté ton monde,
    pour le meilleur et le rire.
Ton univers d'amour,
    et de joies de mille riens,
qui comblent mes jours,
    et m'inspirent ce soupir.

Tes beautés, tes idées,
    furent pour moi, renaissance,
avant toi j'avais vu,
    mais n'avais pas vécu.
Mes pensées, mes mots,
    et même mes jouissances,
ont jailli de mon cœur,
    dès que ces yeux t'ont vue.

Les premiers jours

Oui, depuis des jours maintenant,
j'en suis là.
Tu obnubiles mes pensées,
comme rien, ni personne ne l'a jamais fait.

Ton nom.
Oui, ton nom.
Simplement entendre ton nom me fait frémir.
En mon corps, dans ma tête,
les papillons se bousculent.
Ton nom, prononcé au loin,
et mon cœur en émoi se met à vivre,
à palpiter.
Un frisson me traverse.
Me fait sourire.
La morosité du jour fait place
*   à une chaleur brillante.*
Je ferme les yeux,
*   et me nourris d'images de toi.*
Le désir de toi l'emporte sur tout.
Dans mes pensées, plus rien n'importe,
que le désir de toi,
*   ta chaleur en mon corps à venir.*

Là, tu es là.
Devant moi.
Le jeu n'est même pas commencé,
que je suis déjà perdue.
Perdue dans mes pensées, mes sens en alerte.
Je viens à peine de t'apercevoir au loin,
mon cœur s'est emballé.
Oui, déjà.

Tu viens de me remarquer.
Tes yeux.
Ah ! Tes yeux sur moi.
Armes fatales.
Une telle explosion en moi, en mon cœur.
Je fonds.
Je fonds de l'intérieur,
incendiée.
J'en perds mes moyens.

Ton « bonjour », si apaisant et gai,
ne fait rien pour me calmer.
Il me désarme.

Incapable de parler,
étreinte d'émois,
je me jette au sort.
J'ose l'impensable.
Je plonge.
Je présente mes lèvres aux tiennes.
Les yeux fermés.

Tu réponds sans mots,
m'accueillant,
chaleureux.

Je ne cesse de fondre.
Me liquéfie infiniment.
Tes caresses et baisers se suivent
et se poursuivent,
m'allumant à tout rompre.
Exaspérée de désir.

Tes mains sur moi accentuent ma volupté,
mon désir d'être là.
Possédée.
Je veux que le jeu commence.
Fais-moi naître à la vie.

Mère – fille

*S*on sang coule aussi en l'autre,
dans cette femme en devenir.
Entre elles, nul besoin de parler,
transfusion magique de pensées.

Les liens les unissant sont innombrables,
toutes deux ensemble sont tellement belles,
de pensées uniques, comparables,
ni de l'une, ni de l'autre, de querelle.

La joie et la beauté de la mère
sont tellement importantes pour la fille.
Et vice versa.
Et c'est comme ça.

Mères, filles, profitez de ces jours,
et de ces liens de la nature.
Souhaitez-vous que pour toujours,
cet amour unique perdure.

La pomme

Vers la fin de l'été,
je l'avais rencontrée.
Une journée plein soleil,
l'automne qui se réveille.

Un spectacle grandiose,
s'est offert sous ces cieux.
Vers elle j'approche et ose,
la caressant des yeux.

Elle attendait patiente,
la plus belle entre toutes,
radieuse et contente,
que je sois sur sa route.

Mes doigts de la toucher
n'ont guère su attendre,
pour enfin la goûter,
cette chair si tendre.

Cette peau si douce,
sur mes lèvres, ma langue et mes dents.
Cette liqueur qui coule,
cette sève alléchante.

Des sons sans équivoque,
un éclat de soupirs,
qui nous lance son plaisir,
son désir qu'on la croque.

Par cette femme je reçois,
cette révélation.
Plus qu'une simple pomme, elle sera,
mon verger de la tentation.

Aveuglée

Encore une fois,
   tu m'as blessée.
Les cicatrices précédentes,
   pas encore disparues.
Pourtant mon cœur, mon âme,
   les effaceront.
Et de mes larmes encore,
   tu n'auras rien compris.
Mes sœurs, mes amies
   me l'ont tant dit,
je t'aime trop.
   Je t'aime à tort.

Ton travail, ton damné travail,
t'éloigne de moi, à des années-lumière.
Je ne deviens pour toi que poussière.
Mais malgré tout, tu m'attires, tu m'ionises,
toutes mes fibres te désirent,
malgré cela, je t'aime encore.

Tes copains te voient si souvent.
Ils me volent mon amant.
Les heures passées loin de toi,
je souffre tous ces longs moments.

Je suis handicapée de ta présence,
tu es mon membre fantôme,
une jambe, un bras,
coupé de moi depuis longtemps,
et qui, malgré l'absence,
    se fait sentir et me fait mal.
Par cette douleur, je t'aime à mort.

Et cette femme que tu as revue,
qui devait disparaître de ta vue,
    comme tu me l'avais promis.
Tu as réouvert une plaie béante,
    et l'as arrosée de vinaigre.
J'en hurlerais...
Non par jalousie, mais par besoin de toi.
Je voudrais simplement être elle,
    au chaud dans tes bras.
J'en rêve. J'en perds la tête.
Je me nourris d'espoir.
De tout mon être, de tout mon corps,
Je t'aime. Je t'adore.

Tant qu'il y aura...

Tant qu'il y aura des nuits étoilées,
je t'offrirai des pleines lunes de plaisir,
des étoiles filantes colorées,
qui éveilleront tes désirs.

Tant qu'il y aura un ciel bleuté,
je te fabriquerai des nuages de sourires,
d'une blancheur inégalée,
que l'on regarde voyager, et partir...

Tant qu'il y aura un soleil éclatant,
je te couvrirai de mon corps,
te protégerai de ses rayons brûlants.
Ton bouclier, jusqu'à ma mort.

Tant qu'il y aura ton sourire,
et ton regard sur moi, aussi,
mon amour et mes mots te feront dire,
que tu es ma raison de vie.

Quand tu dis mon nom

Quand tu prononces mon nom,
    je sens ma vie dans la tienne,
    les bonheurs qui surviennent,
    et les heures qui nous tiennent
    enlacés tous les deux.

Quand tu souffles mon nom,
    je sens ton désir monter,
    de mes mains, te caresser,
    de ma langue, te goûter
    et t'élever aux cieux.

Quand tu cries mon nom,
    Je sens ma chair dans la tienne,
    Jusqu'à en perdre haleine.
    Toi ma muse, ma reine.
    Nous nous communions… Heureux.

Quand tu dis mon nom,
    Ce nom ne vit plus que pour toi.
    Il veut pénétrer ton cœur,
    et n'en sortir, jamais.

Autant de femmes

Autant de femmes,
autant de larmes.
Qui lui sont personnelles,
et la découvrent si belle.

Si, près de vous, elle libère ses pleurs,
c'est qu'elle est mûre, à vous ouvrir son cœur.
Le portail de ce temple, aussi bien gardé,
de ses tristesses profondes,
   si longtemps enfermées.

La petite fille en elle, revient l'envoûter,
ses moments difficiles, ses désirs non comblés.
Elle les revit devant vous, tout cela au présent,
ses peines, ses chagrins, ses amoureux absents.

Les hommes sont plus souvent,
   la cause de ses douleurs,
elle qui pourtant, les aime à toute heure.
Son besoin présent est de se libérer
de ce malaise pesant, de ces tristes pensées.

Autant de femmes,
autant de larmes...

Je voudrais être...

Je voudrais être pour toi,
une palette de couleurs infinies,
de lumières, et de chaleur,
de sensations nouvelles,
   et d'expériences inusitées.

J'aimerais être pour toi,
une source intarissable de sourires,
de pensées positives,
et de raisons de vivre.

Je désire être pour toi,
une tempête de bien-être,
un raz de marée d'émotions heureuses,
une tornade de fous rires.

Je souhaite être pour toi,
le découvreur de tes pensées profondes,
l'inventeur de tes joies,
l'explorateur de chacun des pores de ta peau.

Je voudrais être pour toi,
un jour ensoleillé,
un clair de lune,
une voûte étoilée,
ton amour, pour la vie.

Mon vent

Regarder dans l'eau, se mirer au soleil,
créant mille cristaux, tous brillant à merveille,
l'onde douce de ce lac, est un réel miroir,
projetant des éclairs, et des zones de noir.

Entouré d'arbres et d'eau, vers le ciel étendu,
cette masse de bleu, me rappelle tes yeux.
Je m'y perds, je m'y noie, et à ce point perdu,
je m'y laisse glisser, de là à mille lieux.

Pas un flot ni épave,
   ne vient troubler ces eaux.
Qu'un nuage et le calme, ah !
   comme cela est beau.
Tout ceci qui m'entoure,
   me ramène à la vie,
me rappelle qu'avec toi,
   tout est joie, me sourit.

Que tel un cerf-volant,
   qui sans vent est mourant,
mon avenir sans toi, serait inexistant.

Être père d'elle

Être père d'elle,
c'est être comblé
d'un amour inconditionnel.

Être père d'elle,
c'est vivre une jeunesse
et une beauté renouvelées.

Être père d'elle,
c'est avoir une paire d'ailes.

Être père d'elle,
c'est trouver le temps trop court.

Être père d'elle,
c'est recevoir plus que donner.

Être père d'elle,
c'est être fier, infiniment.

Notre instant de vie

Cette journée-là,
au matin,
je découvrais dans le ciel de tes yeux,
mon paradis.
Tu me baptisais à l'amour.
Éveillais mon sourire.
Moi si triste et sérieux,
tu as modifié mon trajet,
m'acceptant tel que je suis,
et m'as mené vers moi-même.

Cette journée-là,
vers midi,
nous ne cessions de nous découvrir,
admirant en l'autre,
des contrées nouvelles et jolies.
Depuis la seconde où je t'ai vue,
les gens autour ont pris de l'âge,
près de vingt ans… au moins,
alors que toi, ma belle, tu as rajeuni.

Cette journée-là,
des forces invisibles
   ont fait se croiser nos chemins,
et depuis lors, main dans la main,
et cœur à cœur, nous avançons.

Cette journée-là,
nous la vivrons ensemble.
Et jusqu'à l'aube,
nous ne ferons qu'un pour cet instant de vie.

Plus belle encore

Cette femme avance doucement en âge,
et s'embellit.

Au fur et à mesure des jours, des saisons,
à force de la rencontrer,
nous la connaissons davantage,
et l'aimons plus encore.

Par ses sourires chaleureux,
elle se fait accueillante.
Par ses airs mélodieux,
nous attire, charmante.

Par son cœur, par ses jours,
elle est plus belle encore.

Symbiose

La symbiose, c'est...

Se comprendre sans un seul mot.

Me nourrir de tes sourires,
diamants de ma vie.

Lire ton plaisir par tes yeux.

Sentir ton regard avide
sur mon corps...

Entendre le son de ta peau sur la
mienne, à chacune
de nos ondulations.

Goûter les battements de ton cœur,
par ma langue butineuse.

Jouir de tes cris,
à la fois plaisir, à la fois folie.

M'abandonner à toi.

La symbiose, c'est...

c'est mourir en toi,
quand tu fermes les yeux.

Je pleure encore

Une larme,
puis une autre.

Oui ce sont les miennes,
et cette vague, sur laquelle je tressaille,
et celles qui suivent, et me tiennent...
Quelle est cette douleur qui me tenaille ?

Moi qui si fort, si puissant,
toujours choyé, et plein de vie,
que se passe-t-il en dedans,
d'où me vient cette mélancolie ?

Au loin s'approche, un enfant,
je le distingue de plus en plus.
C'est celui que j'ai en dedans,
de sa vie triste, revenu.

Et je l'accueille, le servant,
et tout comme moi, aussi, il pleure.
Et notre chaleur, notre amour aidant,
on voudrait que ça dure des heures.

Je suis le seul à le connaître,
à savoir ce qu'il a appris.
C'est lui qui me fera renaître,
m'expliquer c'que j'n'ai pas compris.

Et avec lui, je pleure encore,
ressentant une tristesse telle.
Un courant de fond qui ressort,
vers le soleil, une échelle.

Pour l'instant je n'y comprends rien,
que des soupirs, tristesses et peurs.
Comme si je perdais mon chemin,
qu'un virus me rongeait le cœur.

Ces choses-là, ne s'expliquent pas.
Par amour, les autres veulent aider,
mais cette douleur, on l'a en soi,
elle semble être là pour nous guider.

Mais ces messages, en paraboles,
ces signaux, ces images troubles,
nous couchent à terre, nous mettent au sol,
nous épuisent, font perdre le souffle.

Petit garçon, qui vit en moi,
s'il te plaît reste. Je vais t'aimer.
Et tous les deux, on s'apprendra,
à éclairer l'éternité.

De tout mon être, de tout mon corps,
je pleure encore…

Ce sourire

Si vous l'apercevez,
et qu'elle vous éblouit,
n'ayez crainte, vous verrez,
nous avons tous failli.

Son sourire en dit long
sur tous ses états d'âme,
elle que nous voyons,
qui attire et nous charme.

Ce rayon de soleil
qui égaiera nos jours,
ce regard qui éveille
en nous, tout cet amour.

Ce sourire aussi franc,
qui nous vise et nous tue,
qui nous enrobe pourtant
d'une chaleur bienvenue.

Quand cette femme nous sourit,
on se souvient du jour,
où elle nous a ravi
et donné son amour.

Ah ! Ce sourire…

Quand je suis avec toi

Quand je suis avec toi,
　　une fièvre de plaisirs s'empare de moi.
　　Chaque seconde qui passe
　　est une gorgée de soleil.
　　La chaleur de ta voix fait
　　　　trembler tout mon être.
　　Ton regard sur moi, illumine mon ciel.

Quand je suis avec toi,
　　ton parfum m'enivre,
　　m'enveloppant de désirs.
　　Tes doigts sur ma peau,
　　contrôlent tous mes sens.
　　Ta langue sur la mienne,
　　me fait fermer les yeux.

Quand je suis avec toi,
　　je voudrais que s'arrête le temps.

Ravissante Chérie

Tu arrives, ravissante.
Tes longues enjambées surprennent,
tes jambes longues et belles m'attirent,
tout ce que tu es, m'inspire.

De tout ce qui est autour de moi,
tu deviens le centre,
tout ce qui émane de toi,
cette énergie de ton ventre.

Depuis le moment où je t'ai connue,
à chaque instant, tu t'épanouis.

D'année en année,
tu souris de plus en plus.

De jour en jour,
tu embellis.

Lyne, tu réalises mes rêves les plus fous,
ceux d'être heureux, malgré tout.
Et avec toi, je vis l'extase,
celle qui m'inspire ces phrases.

Mes jours, mes nuits, je te les donne,
et mes chansons, te les fredonne,
essayant, comme bon amant,
de garder ton amour vivant.

Souvenirs

Plongeant dans l'onde, des souvenirs,
mes rêves abondent, me font sourire.
Plaisirs partagés, avec toi,
je les revis, encore une fois.

Les yeux fermés, ou mi-clos,
ces images sont, comme cette eau,
qui nous soulève, et nous transporte,
revivant ces émotions fortes.

Je nous vois en flou, tous les deux,
marchant, espiègles, bienheureux.
Main dans la main, nous avancions,
en étant bien, pleins d'émotions.

Je me réveille, de cette ivresse,
vers le réel, qui se dresse,
me dirigeant vers ton sourire,
celui qui forge mes souvenirs.

Et le cycle recommence…

Fleurs

Ton cœur vers elle, s'est tourné,
aussitôt tes pensées se sont entrechoquées.
La gêne te retient, te fige,
mais tes yeux, vers elle, se dirigent.

Ce tourbillon effréné
t'empêche de penser.
Tu as tant à lui dire,
mais rien ne vient, …, qu'un soupir.

Offre-lui des fleurs.
Elle comprendra.

Tu la vois déesse,
femme fatale, idole.
Utilise ta sagesse,
pour que de toi, elle raffole.

Ton cœur veut te soustraire,
t'empêcher de lui dire,
mais c'est tout le contraire,
le silence serait pire.

Ouvre-lui ton cœur.
Elle aimera.

Adore simplement cette femme.
Elle te le rendra au centuple.
D'une manière inimaginable.

Souviens-toi,
un simple soleil,
donne vie à une infinité de fleurs.

Rupture

La douceur de ton miel
  encore sur ma langue.
Mes vêtements imbibés
  de tes fragrances volages.
Une chandelle.
Une douce musique nous accompagne…

Puis le destin.
Ça y est.
Tu les as dits, ces mots redoutables.
« Nous deux, c'est terminé. »

Je les entends.
Tu les as dits sans colère, presque gentiment.
Tu as dû te tromper.
Mais tes yeux tristes, eux, ne trompent pas.

Une lourdeur, une souffrance, un trépas.
Un faux sourire.
Un vide m'emplit.
Une noyade de pensées.
Une tempête de souvenirs, d'objections…
Malaise intérieur, une hémorragie de venin.

Je me contiens, et contiens
  mes flots de larmes à venir.
La musique tourne au vinaigre,
ce goût qu'elle aura, dorénavant,
à chaque écoute de ses airs me rappelant
  cet instant douloureux.

Je respecte ton choix, qui n'est plus moi.
Tu as le droit d'être toi.
Je ne te voudrais pas autrement.

Avec moi, on débute,
découvre,
on ne finit pas.
Ne meurt pas.

J'aime quelquefois, oui,
mais jamais ne « désaime ».

Je ne t'oublierai pas.

L'étrangère

Vous avais-je conté,
  cette histoire peu banale,
qui m'était arrivée,
  ce jour, au terminal…
Mon train vers le sud, était en retard,
alors j'attendais, bien tranquille
  dans cette gare.

Ne m'attendant à rien,
  morosité de la vie.
Et c'est à ce moment,
  que de loin, elle surgit.
Déposant sa valise,
  elle s'assied doucement,
de l'autre côté des rails,
  vers le nord, sur ce banc.

Une robe fort simple,
  sur les courbes de son corps.
À la vue de cette femme,
  j'en ai perdu le nord.
Peu après, vers moi,
  son visage s'est tourné,
et sur moi, seul, assis,
  son regard s'est posé.

Jamais n'avais-je vu,
  un aussi beau sourire,
celui par lequel,
  j'avais failli... faillir.
À un seul de ses mots,
  qu'elle aurait prononcé,
je lui aurais offert,
  ma vie et mes pensées.

Je la regardais ainsi,
  en ce précieux moment,
la dévorant des yeux,
  à travers tous ces gens…
Puis le char de ferraille,
  bruyant est venu,
partie dans cette fumée,
  la belle... a disparu.

Et depuis ce jour,
  dans mes rêves, je la vois,
ce triste détour,
  qui me met en émoi.
Le regret qu'à ce jour,
  je ne me sois levé,
et qu'à cette étrangère,
  ma vie n'aie proposé.

Eau de vie

Puissante, énergique
    et toujours en mouvement,
l'eau est comme la femme,
    qui à tout moment,
devient claire et s'assombrit,
et souvent, donne la vie.

Avec ses vagues tumultueuses,
    s'assoupissant sur la plage,
elle me rappelle ton corps,
    jouissant avec rage.
La mer a tout de toi,
    avec ses courbes fort belles,
toi qui pour moi,
    sera toujours modèle.

La mer, comme la vie, est esclave de cycles.
L'amour est ainsi, c'est lui qui nous dicte,
que pour toi mon aimée,
je suivrai tes marées...

Regard

Il n'a suffi que d'un regard,
un regard sans fard.
À ce point j'étais conquis,
et cela pour toute la vie.

Tes yeux rieurs qui m'invitaient,
tes yeux charmeurs qui m'envoûtaient,
ton regard de feu, plein de lumière,
a fait de moi l'homme le plus fier.

Ce look timide, qui m'a charmé,
je n'aurais rien fait pour l'éviter.

Ce regard profond qui à cette heure,
a pu lire en moi, tout au fond de mon cœur.

Bien des années ont passé sous ces cieux,
je resterai marqué par le bleu de tes yeux.

Tu me hantes

Je rêve tout éveillé.
Mes jours comme mes nuits,
je pense à tes beautés.
Tu me hantes.

Malgré cette longue absence,
que je me dois de subir,
chacune de mes fibres te ressentent,
te désirent.
Tu me hantes.

Obnubilé par toi,
tu contrôles mes pensées,
et dans mon cœur sèmes l'émoi.
Tu me hantes.

À mille lieux de toi,
ma peau encore ressent
la caresse de tes doigts.
Tu me hantes.

Si tu lisais mes pensées,
tu te noierais de toi-même,
car mes idées, de toi sont remplies.
Tu me hantes.

Tes fragrances qui me retiennent,
ton parfum sur l'oreiller,
j'aimerais que tu sois mienne.
Tu me hantes.
Possédé.

Bleu
« Froidure québécoise »

Les Indiens ont bien leur été,
qui nous est cher, si coloré.
Ses teintes oranges, rouges et vertes,
l'été indien, douce découverte.

Et au Québec, il est un ciel
qu'aucun désert, ni aucune mer,
aucune jungle, ni autre terre,
ne peut admirer en réel.

Non chaleureux, mais accueillant
nos jeux dehors, par joli temps.
Un bleu si vrai, nous survolant,
qui disparaîtra au printemps.

Avec « moins quarante » comme compagnon,
alors couleur si pure qui soit,
je te baptise de ce nom,
Bleu « Froidure québécoise ».

Neige de joies

La neige batifole,
et sur les toits s'empile,
et toi devenue folle,
de sortir les filles.

Aller courir dehors,
et partager leurs jeux.
Leur construire un fort,
en nous voyant heureux.

Tes sourires et tes cris,
tous ces moments de joie,
avec toi je les vis,
ils me mettent en émoi.

Tu passes l'après-midi,
à adorer ce froid,
qu'elles aiment elles aussi,
et ce, tout autant que toi.

Je vous aime toutes les trois,
et cela augmente toujours.
Vos sourires délicats,
sont la joie de mes jours.

Liberté

Un enfant passe,
   un autre le suit.
Je suis dans ce parc,
   près d'un arbre assis.
Je n'avais rien à faire,
   rien à dire, à penser.
Qu'à me laisser bercer
   par ces riens familiers.

Un écureuil croque,
   une feuille morte tombe.
Chacun de ces faits
   a un bruit dans ce monde.
Il faut les entendre,
   je dois m'y habituer,
manière de comprendre,
   dans ces temps si pressés.

Les pêcheurs présents,
   ont déjà tout compris.
Que le temps que l'on prend,
   est celui que l'on vit.
La vie est bien trop courte
   pour la laisser filer,
et de se laisser prendre,
   à ses courses effrénées.

L'homme a le choix de faire
    comme tous les autres,
accumuler richesses,
    puissance et apôtres,
ou bien de vivre,
    les plaisirs présents,
et de rajeunir,
    redevenir enfant.

Il est dans tout cela,
    que deux mots qui ressortent,
de manière si vive,
    de manière si forte.
Liberté et Vie
    doivent raisonner si fort,
car l'une sans l'autre
    est synonyme de mort.

Cinéma muet

Je n'étais qu'une épave
marchant droit devant.
Le visage grave,
ne jamais souriant.

Un être gêné,
que l'ennui tuait,
un homme fermé,
un cinéma muet.

Ce film en noir et blanc,
que composaient mes jours,
à ta vue a changé
et cela pour toujours.

Ta main dans la mienne,
mes jours ont basculé.
De l'ombre à la lumière,
ma vie a passé.

Tu es bijou à mon bras
quand je marche dans la rue,
je suis bien comme un roi,
avec toi, à leur vue.

Maintenant je parle et je ris,
je chante et j'écris.
Le bonheur de mes jours,
la fraîcheur de ton amour.

La harpe

Son corps noble et doré,
   se dresse devant moi,
ses courbures échancrées,
   inspirent respect et émoi.
Cette femme patiente,
préfère l'approche lente.

Vers elle je me dirige,
   en la fixant des yeux,
sa musique prochaine,
   nous montera aux cieux.
Et mes mains fiévreuses,
de la toucher, désireuses.

Je m'assieds, tout près d'elle,
   maintenant corps à corps,
imaginant que d'elle,
   proviendront ces accords,
qui nous feront vibrer,
jusqu'à pure liberté.

Dès que mes doigts la touchent,
   l'extase nous accueille,
nous approchant du ciel,
   nous y sommes sur le seuil,
ses harmonies divines,
ses nuances si fines.

Et sur ces cordes tendues,
  mes mains pincent et caressent,
et ces murmures entendus,
  m'attirent à cette déesse,
qui m'appelle et me chante,
de l'amour..., elle enfante.

Et sous cette peau tendue,
  je m'approche de son âme,
qu'elle me tend, qu'elle me donne,
  dans ce corps de femme,
son sublime plaisir, qui l'atteint, et la tue,
nos corps se fondent, le silence revenu.

Larmes d'amour

« Une chance qu'on s'a... »,
  c'est ce qui jouait,
j'étais prêt à démarrer ma journée,
  placer les jouets.
Tout à coup cet air à la radio
  commence, et me désarme,
je pense à toi, mon bonheur, mon amour,
  et m'arrivent ces larmes.

Un surplus de tristesse, de solitude,
  de bonheur, pourtant si bien entouré.
Je me trouve chanceux,
  amoureux, aimé, comblé.
Les heures passées en ta présence
  sont comme de la soie,
et tes sourires, tels des diamants,
  les plus beaux qui soient.

Nulle bière ne me ferait écrire ainsi.
Ces larmes me font écrire,
  ce qu'en dedans je vis.
L'ennui me tue, tes absences aussi,
et ce à tout moment,
  le jour comme la nuit.

La vie m'oblige en ce moment,
à vivre toutes ces heures de tourments.
Le soleil de mes jours,
   tu es devenue avec tes sourires,
et mes nuits, nuits merveilleuses
   où que moi tu es devenue pire !

Tu es rendue incomparable,
   il n'y a pas plus femme que toi.
Ta beauté, ta finesse, ton corps, tes désirs,
nul besoin de plus,
   je suis à toi.
Combien de fois pourrais-je te le dire ?

      « une chance que je t'ai... »

Enfer silencieux

Déjà trois mois maintenant
   que je ne dors plus.
Au moment où j'ai posé les yeux sur lui,
    j'ai perdu la vue.
Une éternité de souffrance à le désirer.
Le cœur menotté.

Je sais que je ne devrais l'aimer,
   mettre en péril ma vie facile,
car à un autre, je suis promise.
Mais tout ce qu'il est, me fascine, m'attire,
me comble de désir.

Lui qui me séduit,
   simplement par ce qu'il est.
Même marié à une autre,
   me fait de l'effet.
Je le croise quelquefois,
   il me remplit de lumière,
celui qui, sans le savoir,
   est l'objet de mes prières.

Et quand je le vois, mon cœur s'affole,
et si je l'avouais,
   je passerais pour ingrate,
   on me dirait folle.
Personne n'entend mon cri intérieur,
   mes supplications aux cieux,
mes entrailles qui pleurent,
   cet enfer silencieux.

Meurtrie je vis,
lasse de cette vie,
le cœur menotté.

Que d'amour...

Que d'amour dans ces doigts,
qui caressent son petit.

Que d'amour dans ces yeux,
quand son ange lui sourit.

Que d'amour dans ce sein,
entre les lèvres nourries.

Que d'amour dans son chant,
pour l'enfant endormi.

Que d'amour dans ces gestes,
d'une tendresse infinie.

Que d'amour dans son sang,
quand elle se sent chérie.

Que d'amour dans ces larmes,
quand son prince est parti.

Que d'amour dans ces rêves,
quand elle pense à lui.

Que d'amour, ..., en elle...

Que d'amour...

Table des matières

Titres publiés à
La Plume d'Oie depuis 2000

BIOGRAPHIE

AUBÉ SAVOY, *Christine*. Hommage à ma p'tite Isabelle, *2004, 23,95 $*

LAPLANTE, *sœur Corrine*. Une Acadienne dans « l'enfer vert » de l'Amazonie péruvienne, *2000, 14,95 $*

MOREL, *Jean-Paul*. Chronique d'un monde révolu, *2004, 19,95 $*

SAINT-PIERRE, *Angéline*. Médard Bourgault sculpteur, *2000, 19,95 $*

CONTE

DE FOREST, *Ariadnë*. Les guimbardes échotières, *21,95$*

GAGNON, *Claire*. Le secret des étoiles, *2004, 8,95 $*

GILBERT, *Normand*. Les enfants racontent, *2000, 16,95 $*

MASSON DOMPIERRE, *Rose*. Les contes de Roshâ, *2001, 16,95 $*

CROISSANCE PERSONNELLE

BERNIER, *Danièle*. Un jeudi pas comme les autres, *2004, 19,95 $*

FOURNIER, *André*. Le papillon en soi, *2001, 24,95 $*

LAVOIE, *Louise*. Simplement Être, *2000, 24,95 $*

THÉRIAULT, *Brigitte*. Comment faire l'amour avec la vie, *2002, 19,95 $*

TURCOTTE, *Marie-Reine*. Corrine dans la lumière, *2000, 19,95 $*

DOCUMENTAIRE

BARBEAU GUILLOU, *Madeleine*. Le Tour du Saint-Laurent cycliste, *2001, 26,95 $*

CÔTÉ, *Isabelle*. La relation d'aide sécuritaire, *2003, 22,95$*

DANCAUSE, *Judith*. La mort aux pieds d'argile – Soins de réconfort, *2004, 24,95 $*

DUMAS, *Alain*. Le baseball, *2000, 14,95 $*

LAVALLÉE, *sœur Odette (r.h.s.j.)*. Traverser les obstacles d'un chemin difficile, *2004, 17,95 $*

LAVALLÉE, *sœur Odette (r.h.s.j.)*. Ouvrir les yeux autrement, *2004, 17,95 $*

SAINT-PIERRE, *Angéline*. Hommage aux bâtisseurs, *2003, 25 $*

Essai

BERNIER, *Hélène*. Le prince et la princesse, c'est moi, 2001, 18,95 $

GUAY, *Lucien*. La relation d'être... à être, 2002, 19,95 $

LESAGE-VÉZINA, *Thérèse*. Pourquoi hésiter à écrire ?, 2001, 19,95 $

Généalogie

CARON D'AMÉRIQUE, *Familles*. 20 ans – une fierté à partager, 2004, 20 $

GAGNÉ, *Onil*. Louis Gasnier dit Bellavance, Sieur de Lafresnaye, 2003, 25 $

GAGNÉ, *Yves-Marie*. L'héritage de la Molaye, 2002, 29,95 $

SAINTE-APOLLINE-DE-PATTON, *Municipalité de*. Répertoire des baptêmes, mariages et sépultures, 2002, 25 $

POIRÉ, *Claudette*. Histoire d'une lignée Poiré, 2000, 25 $

Langue et littérature

JOBIN, *Jean-Louis*. Enseigner la vérité, 2003, 24,95 $

LEBEL, *Marcel*. Analogies (français-anglais-espagnol), 2001, 34,95 $

LEBEL, *Maurice*. Les Salons, 2000, 19,95 $

Récit

CARON, *Christiane*. Le grand mal, 2003, 17,95 $

CHEFFIE. Personne n'échappe à son destin, 2001, 18,95$

DUPONT, *Paulette*. La mémoire brisée (Alzheimer), 2003, 17,95 $

ÉMOND, *Johanne*. D'une femme à propos d'une autre, 2003, 18,95 $

FUGÈRE, *Jacques*. Fils de mineur, 2001, 23,95 $

GAUDREAU-MAROIS, *Émérentienne*. Émé... Une vie simple, 2003, 19,95 $

GRENIER, *Étienne-Armand*. Coup d'œil sur la Palestine d'il y a 2000 ans, 2002, 19,95 $

LÉGARÉ-LESMERISES, *Diane*. Plus de 64 000 pas, 2003, 17,95 $

LEGENDRE, *Marie-Victoire Renée*. L'alarme à l'œil, 2005, 18,95 $

LESAGE-VÉZINA, *Thérèse*. Un château moyenâgeux, 2003, 18,95 $

NADEAU, *Louis-Georges*. Osez la vie, 2004, 34,95 $

PARADIS, *Madeleine*. La passion en héritage, 2000, 19,95$

RAYMOND-AMYOT, *Hélène*. Mon odyssée péruvienne, 2003, 19,95 $

SAINT-PIERRE, *Angéline*. C'était pendant la Deuxième Guerre mondiale à Saint-Jean-Port-Joli, 2001, 19,95$

Réflexion et poésie

BEDFORD, *Christopher*, À l'aube des moments, 2001, 18,95 $

BLAIS, *Sylvie et Jacques Béland.* Des images et des mots, 2003, 25 $

BOLDUC-RAINVILLE, *Michelle.* Arbre de source divine, 2004, 16,95 $

BOUCHER, *Paul.* Promenade poétique en Charlevoix, 2001, 18,95 $

BOUCHER, *Paul.* Promenade musicale, 2004, 14,95 $

BRUNOD, *Yoaki.* Crocodiles et sacoches, 2000, 20 $

CHÂON, *France.* Les dessous d'un cœur, 2004, 16,95 $

DENIS, *Benjamin-Pierre.* Renaissance, 2000, 18,95 $

DÉSILETS, *Guy.* Désir équinoxe, 2005, 14,95 $

DUFRESNE, *Marie-Andrée.* Le Mangeur de Brume, 2000, 18,95 $

FORTIN, *Mélanie.* La caresse des mots, 2000, 18,95 $

LAMARRE, *abbé Martin.* Je rêve, 2003, 19,95 $

LANDRY, *Charles.* Si j'écrivais comme je t'aime, 2005, 15,95 $

LANGLOIS CHÊNEVERT, *Denyse.* Parfum d'automne, 2004, 17,95 $

LAPRISE, *Jean-Noël.* Coups de cœur Grandeur Nature, 2003, 19,95 $

LAPRISE, *Jean-Noël.* D'un cœur à l'un, d'un cœur à l'Autre, 2005, 14,95 $

LEPALIS, *Romuald.* Aiguail, 2001, 19,95 $

MARTIN, *Régent.* L'envol des samares, 2001, 18,95 $

NADEAU, *Réginald.* De verts horizons la vie, 2001, 19,95$

OUELLET, *Françoise.* Au bout du rêve, 2001, 14,95 $

POTVIN, *Marguerite.* Paroles d'art, 2001, 19,95 $

POULIN-PIEL, *Pierre.* Jetons l'ancre un court instant, 2001, 19,95 $

ROCH, *Serge.* Histoires d'autres corps, 2000, 19,95 $

ROCH, *Simon.* L'ennui tourmenté, 2000, 19,95 $

ROY, *Louis-Daniel.* Poésie du petit monde, 2003, 14,95 $

SIMARD SAINT-GELAIS, *Juliette.* À la brunante, 2003, 15,95 $

THÉRIAULT, *Fernande.* La rosée muette, 2001, 15,95 $

TURCOTTE, *Line.* Vogue vogue ma vie, 2004, 16,95 $

VERMETTE, *Guillaume.* Un élu de souffrance et d'espoir, 2000, 13,95 $

Roman

BEAUCHEMIN, *Alain.* Le chant des étoiles, 2005, 22,95 $

BERGERON, *Yolande.* Dans tes yeux jadis tout l'amour du monde, (Alzheimer) 2002, 23,95 $

BIGEAN, *Lyne.* Douce Esméralda, 2002, 15,95 $

DESCARY, *Thérèse*. 1095 jours, L'Ange-Gardien (tome 1), 2004, 19,95 $

DESCARY, *Thérèse*. 1095 jours, Notre-Dame (tome 2), 2004, 19,95 $

DESROCHERS, *Carl*. Le thaumaturge, 2004, 18,95 $

GAGNÉ, *Linda*. Alexis sous l'emprise du pouvoir, 2000, 19,95 $

GAUTHIER, *Pierre-Jacques*. Le grand voyage du cœur, 2005, 19,95 $

GERMAIN LESSARD, *Hugues*. Alias Euphorbe Maher, 2002, 21,95 $

GIROUX, *Monique T.* Les versions de la vérité (roman jeunesse), 2003, 19,95 $

LACROIX, *Florence*. À l'assaut de la vie — Le courage de Martin face aux intempéries, 2005, 22,95 $

LALANDE, *Daniel*. Sur les épaules d'un gnome, 2005, 16,95 $

LANGLOIS-Chênevert, *Denyse*. Tant qu'il y aura du sable — Véronique, 2005, 22,95 $

LANGLOIS, *Jeannine*. Passion de septuagénaires, 2003, 14,95 $

MAKAREWICZ, *Ina*. Hommage à Basile, 2005, 14,95 $

MASSON-LUSSIER, *Jules*. Amour&amitié.com, 2003, 29,95 $

MICHAUD, *Guildor*. Abilène, le monde au féminin, 2001, 23,95 $

MORIN, *Charles-Léon*. Les enfants de Floridor, 2005, 19,95 $

OLIVIER, *Nicki*. Tout commença une nuit, *roman jeunesse*, 2004, 19,95$

OLIVIER, *Nicki*. Les mystères des profondeurs, *roman jeunesse*, 2005, 17,95 $

PLANTE, *Monique*. Intrigues à l'île Rouge, *roman jeunesse*, 2003, 12,95 $

SNIPER, *Jason*. Au cœur de la démence, 2000, 15,95 $

ROBERGE CANTIN, *Yvette*. Taniata — L'Indienne de la rivière Etchemin, *tome 1*, 2004, 22,95 $

ROBERGE CANTIN, *Yvette*. Taniata — Les enfants de l'Indienne, *tome 2*, 2005, 22,95 $

VACHON, *Louis*. Nymphe, 2005, 23,95 $

VILLENEUVE, *Ghislaine*. De l'aube au crépuscule, 2000, 19,95 $

COLLECTION PATRIMOINE ET HISTOIRE DE CHEZ NOUS

Cap-Saint-Ignace, tome 1, 792 pages, 40 $

Saint-Pierre-de-la-Rivière-du-Sud, 448 pages, 50 $

Montmagny, les familles, à venir automne 2006

Montmagny, son histoire, à venir automne 2006

Visitez notre site Internet
au www.laplumedoie.com

Pour commander
demandez à votre libraire
ou directement à la maison d'édition
au **418.246.3643**
ou par courriel à info@laplumedoie.com

MEMBRE DE SCABRINI MEDIA

Québec, Canada
2005